CW00542459

Les yeux de l'âme

Morgan Vande-Kerchove

Les yeux de l'âme

Recueil

LE LYS BLEU
ÉDITIONS

© Le Lys Bleu Éditions – Morgan Vande-Kerchove

ISBN : 979-10-377-7551-1

Rencontres

Tant de gens rencontrés
Sur le long de la route
Me désolent, me consolent
Mettent mon cœur en déroute

Parfois si prévisibles
Parfois tellement nouveaux
Ils sont soit irascibles
Soit de parfaits joyaux

Pas de trêve dans l'esprit
Pour celui qui voyage
Avec toutes ces âmes
Qui errent dans la nuit

S'il emporte avec lui
Un peu de poésie
Il saura cheminer
Sans nul autre bagage

L'homme qui voulait rêver

Du sommet de sa gloire
Son cœur s'est assoupi
Il n'a qu'un seul espoir
Revoir un jour jaillir
La flamme de son désir
Qui s'est pourtant tarie

L'homme qui voulait rêver
En chemin s'est égaré
Mais ensuite a retrouvé
La direction de son rêve
Et depuis, aucune trêve
Chaque jour son espoir renaît

Ma petite plume

Ma petite plume
Ma petite dune
Volante au vent

Opportune
Ma petite lune
Tu égaies le temps

Sous ton emprise
Mon cœur s'envole
Rêve à cet air
D'un air frivole

Glace l'angoisse
Dégèle l'ennui
Et le jour passe
Déjà la nuit

Ma petite plume
Ma parure brune
Bien gentiment

Tu dégringoles
Tes cabrioles
Te rendent si libre
Depuis longtemps

Ma petite plume
Tout doucement

Prisonniers ici-bas

Même dans une cage dorée
Les anges ne peuvent voler
Leurs ailes se déployer
Et leurs murmures se glisser

Tout en haut de la cime des arbres
Ils entendent pourtant le vacarme
Qui vient d'en bas et les désarme
Et même si leur esprit s'acharne
À ignorer ces vaines palabres
Rien ne pourra rasséréner
La mémoire de la liberté
Qui nourrissait jadis leur âme

Le souvenir de ces feuilles mortes
Structures squelettiques enfouies dans le sol
De tous ces hommes qui sont tombés
Pour la Nation et leurs idées
Afin que vivent les choses sacrées

Ils nourrissent les racines des arbres
Donnent un foyer aux exilés
Qui nichent en haut de leur forêt

Visions célestes

Le vent se lève
Les grandes tornades
S'évaporent dans le ciel
Et les silhouettes dorées
Ont l'apparence des anges

Soudain au loin
On entend sonner le clairon
C'est le fils du Très-Haut
Venu libérer l'homme bon
De son vaisseau charnel

Il jette dans la géhenne
Celui qui cultive la haine
Prince du monde et de l'usure
Des ténèbres et de l'infortune
Que les hommes suivent dans leur ivresse

Majestueux et plein de sagesse
L'ancien prophète devenu Roi
Aime les humbles et les rassure
De son visage plein de tendresse

Brandit l'épée de la justice
Suscite en tout lieu l'allégresse
Afin d'absoudre l'immondice

Fils du Très-Haut ressuscité
Montent avec lui les âmes bien-nées
Vers le royaume de son Père
Pour une nouvelle Jérusalem
Où demeure la Paix fraternelle

Noblesse d'âme

Qu'y a-t-il de plus noble
Que de servir sans intérêt ?
C'est là la marque des grands hommes
Et sceau de toute dignité

Qui ne baissent la tête devant personne
Ne veut qu'on le fasse devant lui
Voilà ce qu'est la vraie noblesse
Se battre pour la vérité

Quitte à tout perdre et qu'on se blesse
Sur ce chemin jonché d'épines
Telle la couronne du Roi-Fils
De celui qui a enduré
Son sacerdoce à l'agonie
Pour ne jamais se compromettre
Dans toute l'unité de son être

Depuis son authenticité
Du temps des Rois et des Valets
Et d'une droiture presque ascétique
D'une tempérante humanité

Voici pourquoi on l'appelait
De cette marque de respect
Qui fit la France un pays libre
Et vraiment digne de sagesse
Royaume et Terre de tout exil
Ciel et Empire de Majesté

Rêverie cosmique

Feu ardent dans le ciel
Au-dessus de nos têtes
Et une mer éternelle
Où en tous points reluisent
Des coussins gigantesques
Pour déposer nos rêves

Et de grands arrosoirs
Comme passants nuages
Tels de gros moutons noirs
Qui essorent leur laine
Sur nos visages blêmes

Rafraîchissant notre air
Font mûrir les récoltes
S'en vont sur d'autres plaines
Pour mourir à l'aurore

Cœurs scellés

Il est beau le temps
Où les amoureux
Baignant tous les deux
Dans la pureté du moment

Se donnent l'un à l'autre
S'oubliant entièrement
Parfaitement, sans soupçon
Ni doute qui les assaille

Seule une pulsion de vie
Qu'ils partagent et qui vaille
Dans ce monde de terreur
Qui ne juge que par l'ordre

Du plus haut de l'amour
Se consomment sans détour
Quelques âmes bien-nées
Qu'il ne faut séparer

Et même devant l'ennui
Ils tourneront leurs talons
Cette Belle et Sébastien
D'entiers soupirs pousseront
Pour ne jamais se désunir
Ni même devant la mort

En tout maintenant liés
Dans leur cœur et dans leur corps
Jusque d'éternelles sérénades
Qu'ils chantent et qu'ils louent
Susurrent à notre oreille
Pour que nos esprits s'évadent

Le mystère de la mort

Être d'un autre état
D'ici ou d'ailleurs
Comment se manifeste
Cette étrange candeur
Elle n'est pas d'ici-bas

Un élan transcendant
Qui me met en émoi
Puisque personne ne doute
Que la mort est certaine
Et que personne ne sait
Où nos âmes se trouvaient
Avant notre naissance

Et de cette ignorance
Court une longue nuit d'errance
Dans un tunnel sans fin
D'hypothèses insolubles

Une crainte invisible
Sommeille alors en nous
Quand nous prenons conscience
Qu'un avenir bien flou
Se présente devant nous

Pénétrant le destin
Nous rendant presque fous
Une sorte d'innocence
S'est perdue en chemin

La plainte du poète endormi

Sitôt qu'un éclair
Jaillissant de lumière
Illumine ma fenêtre
Soudain la noirceur
Cette marâtre amère
Se manifeste alors
En mon for intérieur

Et alors la flamme
De mes ardents désirs
De vœux pieux et sincères
De solennelles idées
Va s'amenuisant
Le long de mon souvenir
Je ne vois pas l'avenir
Car le doute le condamne

Qu'est-ce que la poésie
Sinon terre d'exil
Pour les choses sacrées ?
Peut-on faire taire le cœur de l'homme
En achetant sa liberté ?

Et toutes ces âmes bien-nées
Qui parlent tant d'amour
Mais n'en ont pas manifesté
Seront-elles libres un jour ?
Où iront-elles trouver la clef
De leur étrange destinée ?

Elles souhaitent tant le recevoir
Mais évitent bien de concevoir
Que tout ceci n'existe qu'en songe
Qu'en vérité elles sont si seules
Avec leurs angoisses et leurs doutes
Qu'ont-elles donc fait au Dieu du Ciel
Pour mériter pareille déroute ?

Car nul chemin n'est tout tracé
Pour l'un, Valet de pique
Pour l'autre, Dame de cœur
Elle paraît infinie
Cette insipide tiédeur
De laquelle mon âme exulte
D'errance et d'ennui

Ô Dieu, irais-je au Paradis ?
Je doute même fort de sa substance
Si tant est que la vie
Ait, en elle-même, un sens

Car, en effet, qu'est-ce que l'amour
Sinon des attentes qui se perdent
Au dédale des beaux jours ?
Secrets captifs dans nos mouchoirs
Or il devrait pourtant se voir
Que les âmes peuvent se recevoir
Mutuellement, sans artifice
Et non sous de sombres auspices

Et rien que de la poésie
Comme seul et unique horizon
Pour sublimer tous leurs délices
Mais je crains fort mes amis
Qu'il faille se faire une raison
Et que pour le cœur et l'esprit
Cette triste époque soit une prison
Maudite soit cette génération !

Terreurs nocturnes

Dès que l'ange de la nuit
Soudain sur mon épaule
Vient se poser sans un bruit
Surgissent alors des folies
Je m'imagine tout un monde
Et toute la Terre devient immonde
Le négatif de ma vie

Pris de peurs et de doutes
L'espoir de rejoindre Morphée
Tout à coup disparaît
Quand d'une fugace pensée
Mon être entier se tait
Et avec lui toute sa paix

Un flot de questionnements m'assaille
Eh quoi, quelle est cette vie ?
Dieu m'aurait-il abandonné ?
Ou bien fut-ce de mon fait
D'avoir brisé ce lien sacré ?

Et depuis, qui guide mes choix
Sinon cette vaine incertitude
Ou la crainte de mal faire
Bien plutôt que me satisfaire
De ce qui me met en émoi ?

Alors, dit-on, il faut foncer !
Mais oui, d'accord, pour où aller ?
Où arpenter cette solitude
Sinon du haut d'une falaise
Pour pouvoir se mettre à son aise
Et voir au loin la grande beauté ?

Est-ce pourtant peut-être cela
Qui me manque tant ici-bas
Que contempler cette saine nature
Et sa lumière à mes côtés ?

Quand au matin je me réveille
Sens la fraîcheur et m'en réjouis
Et que cette implacable nuit
A mis tous mes sens en éveil
Rien ne m'a pourtant empêché
De dormir comme le nouveau-né

Et ce que Dieu promet de bon
Parait comme ça, sans une raison !
D'un amour inconditionnel
Comme au sortir d'un rêve
Aussi léger qu'éternel !

De la vérité

Les hommes se bercent d'illusions
Car ce qu'ils nomment vérité
Ne plaît qu'à ceux dont la Raison
Est érigée en tout premier
Principe de leur propre existence
Et n'en ont pour unique substance
Que sens dénué d'intérêt

Cette vérité est bien amère
Car bien au lieu de satisfaire
Leur petite vision étriquée
Celle-ci souvent les ramène
Au miroir de leur âme blême
Et sur la route de leurs chaînes
Ils se persuadent que se déchaîne
Un monde si vaste et étendu
Dont seuls leurs sens les assurent

Vaillamment ils haranguent ceux
Qui ont l'audace de promouvoir
De ce qui peut les émouvoir
De ne point pouvoir en trouver sens
Et la déchirure face à elle
De cette vérité éternelle
Ne peut jamais se refermer
Sinon toute une vie l'endurer

Malheureusement souvent si lâches
Les hommes préfèrent ne survivre
Considérant de vains plaisirs
Comme ce qui comble leurs désirs
En cela qu'ils ne s'accomplissent
Que dans une attitude bien lisse
Ne laissant seulement entrevoir
De ce qui ne saurait compromettre
Qu'intérêts purement égoïstes

Voici alors comme le monde cesse
De porter hommes et non des mièvres
Parce qu'ils préfèrent paître que périr
Au nom pourtant qui les fit naître

Cette vérité n'est idolâtre
Porte en son sein lucidité
D'une terrible condition humaine
Qui voit d'un doux feu un brasier
Ou l'orgueil de se voir lestée
De ce fardeau pourtant bien-né

Celui de voir en toute Gloire
Que le reflet de l'inconstance
Ou bien de toute humilité
Qu'expression d'une fragilité

Or l'endurance qu'acquiert l'esprit
De mettre à nu le monde malade
Est d'une vertu plus insondable
Que la pureté d'un Paradis !

L'amoureux damné

Ô Dieu, ai-je rencontré un ange ?
Seigneur, tu es si belle
Que tu dois être fille du Ciel !
Ta grâce est sans égale
De penser être l'élu de ton cœur
Fait jaillir en moi la terreur
D'être trop impur et scélérat
Pour ne combler qu'une once de ta grâce

Les anges rougissent devant ta face
Et que ce qu'on appelle l'amour
Paraît si terne à côté de toi
Tes cheveux d'or sont comme un feu de joie
Ton élégance suscite mille offenses
Ta beauté rachèterait toutes les âmes
Et même les plus désespérées
Tu saurais attendrir
Et seulement en ta présence
Je m'en vais grandir
Dans un Paradis onirique

Qui malgré ma volonté de te plaire
Se change en un brûlant Enfer
Je sais maintenant pourquoi l'on pleure
Pour se souvenir d'avoir un cœur
Et la crainte de te décevoir
Me terrasse sans me combattre
Car je t'aime sans te connaître
Mon cœur désormais prisonnier
Même si je sais qu'au fond de moi
Mon âme est au Ciel
Et me met en émoi
D'une louange éternelle

Je ne peux détourner les yeux
Quand tu chantes avec tant d'emphase
Que tu fais rougir les cieux
Dieu doit alors être si fier
Que de savoir qu'il est ton Père
De joie doit en pleurer
Tout comme je pleure de désespoir
De ne pas habiter dans ton cœur

N'est-ce donc pas prophétique
De sentir en son propre sein
Jaillir la minute électrique ?
Elle paraît être un jour sans fin
Étincelant miroir divin

Je vois maintenant des signes partout
En ta présence immatérielle
Cette chose qu'on appelle l'amour
S'immisce en moi comme pour toujours
Pourtant je ne te connais même pas
Mais je brûlerais en Enfer
Pour ne jamais te condamner
Et te couvrir de doux baisers

Telle une colombe venue du Ciel
Tu t'es posée sur mon épaule
Et je prie Dieu de toute mon âme
Afin qu'il puisse te parler
Ô ange divin, Dieu de justice !
C'est bien là la triste fortune
Des âmes pauvres et des damnés

Car ils veulent recevoir la Gloire
Mais ne peuvent point s'en approcher
Et même s'ils veulent bien profiter
Du fruit dont ils ont mérité
Ils ne se meuvent par eux-mêmes
Que par ce dont ils manquaient

Puisse le Seigneur me délivrer
De cet infaillible espoir
De t'aimer à en mourir
Si bien qu'à l'aube, demain
Je n'aurais pour seul déboire
Que cet élan ne soit le tien

Celui de ne faire plus qu'un
Dans la fraîcheur du matin
Et que de sa contemplation
Nous ne tombions en pâmoison

Le tréfonds de mon âme
Gémit d'impatience
De te voir tout de suite
Si j'avais le pouvoir
D'effacer ton absence
Faites que ce souvenir
Ne devienne illusoire
Mais suis-je vraiment digne
De seulement recevoir
Ce cadeau de la vie ?
Que je n'ose même y croire !

Et pourtant je l'espère
J'en nourris l'espérance
Pour que soit conjuré
Le sort des âmes damnées !

Le don suprême

Rien n'est plus pur que l'amour
Car il se donne gratuitement
Tout à l'inverse de la haine
Qui rend quelque chose en retour

Nous avons tous besoin d'amour
Comme la force des éléments
Le seul remède qui puisse sauver
Tout entière l'humanité

Il nous répare et nous relève
Offre à nos âmes comme une trêve
Oui, nous devons tous nous aimer
Pour nous instruire en vérité

Loin de nos âmes, que sommes-nous ?
Sinon pas plus que de la boue
Dans les mains d'un pouvoir malade
Qui a perdu toute forme d'amour !

L'aube nouvelle

Tout est étrange
Rien n'est pareil
En cet instant
La vie s'éveille

L'aube révèle
Les sentiments
Qui vont et viennent
Sans pour autant
Donner du sens
À leurs errements

Le temps s'achève
D'un long sommeil
Comme une ancienne
Peau qu'on enlève
Ils s'émerveillent
Du nouveau ciel
Ceux qui se lèvent

Du renouveau
Du temps qui passe
Et qui repasse
Ombre fidèle
L'aube trépasse
Vient le Soleil

Promenade printanière

À l'arrivée des beaux jours
Nous irons mon amour
Bras-dessus bras-dessous
Tous deux nous promener

Au début du printemps
Nous irons cher enfant
Ensemble nous balader
Humer l'air en forêt

Et son parfum d'été
Envahira nos sens
Et puis nous marcherons
À travers les sentiers

Jusqu'à l'aube de l'automne
Aux prémices de l'hiver
Consumer notre amour
Jusque dans nos vieux jours

Et des quatre saisons
Toutes seront propices
À ce que l'on s'épanouisse
De joie et de tendresse

Alors finalement
Nous ne vivrons ensemble
Qu'une seule saison

Il n'y aura qu'un été
Pour les âmes bien-nées
Qui se chauffent au soleil
De leur brûlant amour

Table des matières

Imprimé en Allemagne
Achevé d'imprimer en octobre 2022
Dépôt légal : octobre 2022

Pour

Le Lys Bleu Éditions
40, rue du Louvre
75001 Paris

LE LYS BLEU

ÉDITIONS